CYNGHANEDD CARIAD 3

*Gyda llawer o ddiolch i Meirianwen
am ei holl gymorth wrth baratoi'r llyfr.*

CYNGHANEDD CARIAD 3

J. EIRIAN JONES

y Lolfa

Argraffiad cyntaf: 2016
Hawlfraint y caneuon: J Eirian Jones a'r Lolfa Cyf., 2016
Hawlfraint y geiriau: yr awduron unigol

Diolch i Ymddiriedolaeth Pantyfedwen am roi caniatâd
i gynnwys tôn 'Eurgain', 'Caeronnen' a 'Marged'.
Gweinyddwyd gan Cyhoeddiadau Curiad (www.curiad.co.uk)

Dymuna'r cyhoeddwyr gydnabod cymorth ariannol Cyngor Llyfrau Cymru.

Llun y clawr: Ruth Jên

Rhif llyfr rhyngwladol: 978 1 78461 266 5

Cyhoeddwyd ac argraffwyd yng Nghymru gan
Y Lolfa Cyf., Talybont, Ceredigion, SY24 5HE
gwefan: www.ylolfa.com
e-bost: ylolfa@ylolfa.com
ffôn: 01970 832304
ffacs: 832782

Cynnwys

Cwm Alltcafan

J Eirian Jones

Yn gymedrol

mp

1. Fuoch chi yng Nghwm Allt - caf - an Lle mae'r haf yn oedi'n
2. Gweled llynnoedd mwyn Kill - ar - ney yn Iw - er - ddon? Naddo

hir? Lle mae'r sane gwcw, glasaf? Naddo? Naddo? Naddo wir? 2. Welsoch
fi; Tra bu rhai yn crwydro'r gwledydd Aros___ gartref a wnes i. 4. Ewch i'r

chi mo afon Teifi'n Llifo'n araf drwy y cwm? Welsoch chi mo flodau'r eithin Ar y
Swistir ac i'r Eidal, Neu Iw - erddon ar eich tro, Ewch i'r Al - ban, y mae yno___ Ol - yg-

llethrau'n garped trwm?___ *f* Ond i mi rhowch Gwm Alltcaf - an Pan fo'r haf yn glasu'r
feydd god - id - og, sbo.___

Cytgan

f

Cwm Alltcafan

J Eirian Jones

2

9

Cwm Alltcafan

Fuoch chi yng Nghwm Alltcafan
Lle mae'r haf yn oedi'n hir?
Lle mae'r sane gwcw glasaf?
Naddo? Naddo? Naddo wir?

Welsoch chi mo afon Teifi'n
Llifo'n araf drwy y cwm?
Welsoch chi mo flodau'r eithin
Ar y llethrau'n garped trwm?

Cytgan
Ond i mi rhowch Gwm Alltcafan
Pan fo'r haf yn glasu'r byd,
Yno mae'r olygfa orau,
A chewch gadw'r lleill i gyd.

Gweled llynnoedd mwyn Killarney
Yn Iwerddon? Naddo fi;
Tra bu rhai yn crwydro'r gwledydd,
Aros gartref a wnes i.

Ewch i'r Swistir ac i'r Eidal,
Neu Iwerddon ar eich tro,
Ewch i'r Alban, y mae yno
Olygfeydd godidog, sbo.

Cytgan
Ond i mi rhowch Gwm Alltcafan
Pan fo'r haf yn glasu'r byd,
Yno mae'r olygfa orau,
A chewch gadw'r lleill i gyd.

T. Llew Jones

Lle bach tlws

J. Eirian Jones

gwenyn o aur ar y brig- au,_____ A mwclis bach coch ar y coed, A merched bach glân yno'n

dawn- sio,_____ Na welsoch eu tebyg er - ioed. *f* A merched bach glân yno'n dawn- sio,_____ Na

welsoch eu tebyg er - ioed. *mf*

Dy - wedais wrth Idris am - dan - o,_____ Mae Idris yn ddeuddeg oed. Ond

erbyn mynd yno, doedd Id - ris_____ Yn gweled dim byd ond coed. Ond

erbyn_ mynd yno, doedd Id - ris_____ *f* Yn gweled dim byd ond coed.

Lle bach tlws

J. Eirian Jones

1. Y mae yno goed yn tyf - u O gwmpas y lle bach tlws. A dim ond un bwlch i fynd drw - odd, Yn union 'run fath â drws, A dim ond un bwlch i fynd drw - odd, Yn union 'run fath â drws.

Mae

gwenyn o aur ar y brig-au,___ A mwclis bach coch ar y coed, A merched bach glân yno'n

dawn- sio,___ Na welsoch eu tebyg er-ioed. A merched bach glân yno'n dawn-sio, Na

welsoch eu tebyg er - ioed.

Dy - wedais wrth Idris am-dan - o, Mae Idris yn ddeuddeg oed. Ond

erbyn mynd yno, doedd Id - ris_____ Yn gweled dim byd ond coed. Ond

erbyn mynd yno, doedd Id - ris_____ Yn gweled dim byd ond coed.

Lle bach tlws

Y mae yno goed yn tyfu
O gwmpas y lle bach tlws,
A dim ond un bwlch i fynd drwodd,
Yn union 'run fath â drws.

Mae gwenyn o aur ar y brigau,
A mwclis bach coch ar y coed,
A merched bach glân yno'n dawnsio,
Na welsoch eu tebyg erioed.

Dywedais wrth Idris amdano,
Mae Idris yn ddeuddeg oed.
Ond erbyn mynd yno, doedd Idris
Yn gweled dim byd ond coed.

T. Gwynn Jones

Cân T. Llew

J Eirian Jones

Llew, Bren-in dy-chymyg! Un glew, T. Llew, Bren - in dy-

chym - yg.

2. Cwtsio'n braf o dan y cwrlid, Stori dda ddaw â

breuddwyd, Breuddwyd ddaw â'r chwarae fory, Chwarae ddaw â geiriau'r stori! Geiriau

dathlu, geiriau tirion, Geiriau rhannu, geiriau'r galon, Geiriau cariad, geiriau

21

Cân T. Llew

Rhwng bob gair a rhwng y clorie,
Rhwng bob eiliad, rhwng yr orie,
Ymhob llun ac yn y lliwie
Y mae hud y dewin geirie.

Ymhob ton ac ar bob comin,
Mae'r gwynt yn sibrwd enw rhywun,
Ymhob bwthyn, ymhob ogof,
Enw nad aiff byth yn angof!

Cytgan
Mae'n gawr.
Mae'n arwr.
Ni welwn ei debyg.
Un glew, T. Llew,
Brenin dychymyg!

Cwtsio'n braf o dan y cwrlid,
Stori dda ddaw â breuddwyd,
Breuddwyd ddaw â'r chwarae fory,
Chwarae ddaw â geiriau'r stori!

Geiriau dathlu, geiriau tirion,
Geiriau rhannu, geiriau'r galon,
Geiriau cariad, geiriau chwerthin,
Geiriau'n hiaith a geiriau perthyn!

Cytgan

Nos da leuad, nos da heulwen,
Nos da gwmwl, nos da seren,
Nos da ddewin chwedlau llawen,
Nos da T. Llew, nos da awen!

Cytgan

Dwynwen Lloyd Llywelyn

Fy ngardd fach i

J. Eirian Jones

1. Mae gen i ardd o flodau Sy'n lliwgar yn yr haf, A'r coed yn drwm a gwyrdd gan ddail, A'r haul yn t'wynnu'n braf, A'r coed yn drwm a gwyrdd gan ddail, A'r haul yn t'wynnu'n braf, A'r haul yn 'twynnu'n braf.

Fy ngardd fach i

J. Eirian Jones

Fy ngardd fach i

Mae gen i ardd o flodau
Sy'n lliwgar yn yr haf,
A'r coed yn drwm a gwyrdd gan ddail,
A'r haul yn t'wynnu'n braf.

Bydd dail y coed yn disgyn
Yn felyn, brown a choch,
Pan ddaw hen wynt yr hydref
I chwipio ar fy moch.

A phan ddaw'r gwanwyn heibio,
Daw blodau tlws di-ri,
A dail bach melfed ar y coed
I lenwi 'ngardd fach i.

Lis Jones

Eurgain

J. Eirian Jones

2

31

Eurgain

J. Eirian Jones

Gydag arddeliad

1. Ti yw'r Ath - ro__ sydd yn gwybod Am o - fidiau cudd dan glo, Ac yn barod iawn i wrando Ar wedd-

Eurgain

Ti yw'r Athro sydd yn gwybod
Am ofidiau cudd dan glo,
Ac yn barod iawn i wrando
Ar weddïau mud bob tro,
Ti yw'r Athro
A fydd gennyf gydol f'oes.

Ti yw'r ffrind sydd yno'n gyson,
Er mor wamal ydwyf fi,
Rwyt ti'n ffyddlon er bob cweryl,
Trechu'r bwli a wnei di,
Ffrind wyt beunydd
A fydd gennyf gydol f'oes.

Ti sy'n dad a mam i lawer
Pan fo teulu'n mynd ar drai,
Pan fo clymau'n dechrau datod
Ti rydd gysur heb weld bai,
Ti yw'm teulu
A fydd gennyf gydol f'oes.

Rwyf yn swil i dy gydnabod
Yn y byd sydd heddiw'n bod,
Pan fo arwyr ar deledu
A'r maes chwarae'n mynnu clod,
Arwr cyson,
Ti fydd gennyf gydol f'oes.

Pan fo gwersi anodd bywyd
Yn achosi rhwystrau lu,
Dy lawlyfr sydd yn cynnig
Ateb eglur i bob cri,
Yn y Beibl
Ceir arweiniad gydol oes.

Gillian Jones

Caeronnen

J Eirian Jones

1. Fe ganwn gân o ddiolch, Dduw, i Ti, Am gyfoeth Natur a'i holl harddwch hi; Am ddeffro ein synhwyrau craff bob un I wyrth tymhorau'n newid lliwiau'r llun; Am

Oherwydd aceniad y geiriau mewn rhai llinellau, rhaid fydd hepgor y cwafer anacrwsig, ac ychwanegu dau hanner cwafer yn y bar cyflawn nesaf.

Felly, newidia ♪♫♫ i hyn ♫♫♫

Mae hyn yn digwydd yn y llinellau canlynol:
Pennill 2 – llinell 1; Pennill 3 – llinell 1; Pennill 5 – llinell 6

Caeronnen

Fe ganwn gân o ddiolch, Dduw, i Ti,
Am gyfoeth Natur a'i holl harddwch hi;
Am ddeffro ein synhwyrau craff bob un
I wyrth tymhorau'n newid lliwiau'r llun;
Am roddi i ni'r wefr o weld bob awr
Holl dlysni'r Cread, diolch Arglwydd mawr.

Molwn amrywiol rywogaethau'n byd,
A'r cyffro iasol gawn o'u gweld i gyd;
O'r mwyaf hyd y lleiaf, maent yn rhan
O'th greadigaeth gywrain ym mhob man;
Am rywogaethau dirifedi'r llawr
Ein diolch roddwn i Ti, Arglwydd mawr.

Molwn holl dyfiant ir y ddaear fras,
Y blodau cain a'r ffrwythau pêr eu blas;
Fe ddônt â lliw a thegwch yn eu tro
I'r coed a'r gwrychoedd sydd yn harddu bro;
Am ogoniannau'r blodau tlws a'u sawr
Fe rown ein diolch i Ti, Arglwydd mawr.

Am ddyfroedd pur ein daear, molwn Di,
Ac am bob peth a drigant yn eu lli.
Am adar gwibiog a'u prydferthwch mwyn,
A'u trydar clir o goeden neu o lwyn;
Am bersain gôr y wig ar doriad gwawr
Ein diolch roddwn i Ti, Arglwydd mawr.

O, atal ni rhag myned yn ddi-hid,
Gan lygru a difwyno tegwch byd,
A chadw ni rhag hunanoldeb ffôl
Sy'n diystyru'r rhai ddaw ar ein hôl;
Wrth ddod ynghyd i gyd-addoli'n awr,
Diolch am gyfoeth Natur, Arglwydd mawr.

John Meurig Edwards

Marged

J Eirian Jones

Gyda theimlad

1. Tyred, Arglwydd mawr y cread,_ I'n cym-hwyso at dy waith, Dyro inni'r nerth a'r awydd I droi delfryd wen yn ffaith, Y mae

heddiw'n ddydd i Gymry___ Ef-el-ych-u'n ddi-wa-hân Weith-red-iad-au gwerth-fawr

Dewi___ Â chyn-hor-thwy'r Ys-bryd Glân. Weith-red-

(rall - tro olaf)

iad-au gwerth-fawr Dewi,___ Â chyn-hor-thwy'r Ys-bryd Glân.

DC ; p 2 a 3

(rall - tro olaf)

Marged

Tyred, Arglwydd mawr y cread,
I'n cymhwyso at dy waith,
Dyro inni'r nerth a'r awydd
I droi delfryd wen yn ffaith,
Y mae heddiw'n ddydd i Gymry
Efelychu'n ddiwahân
Weithrediadau gwerthfawr Dewi
Â chynhorthwy'r Ysbryd Glân.

Tyred, Arglwydd mawr pob bywyd
A phob bendith wyrthiol, rad,
Gwna in' weled, gwna in' deimlo
Mai dy rodd yw'n hiaith a'n gwlad.
Y mae heddiw'n ddydd i Gymry
Addunedu'n daer o'r bron
I ofalu fel gwnaeth Dewi
Am yr etifeddiaeth hon.

Tyred, Arglwydd mawr pob deall
Sydd yn darllen meddwl dyn,
Ac yn mesur serch y galon
A'u rhinweddau'n un ac un.
Y mae heddiw'n ddydd i Gymry
Luosogi'r un yn gant
Ac i fabwysiadu'r gwerthoedd
Oedd ym mywyd Dewi Sant.

J. Beynon Phillips